偏旁：示字旁、衣字旁

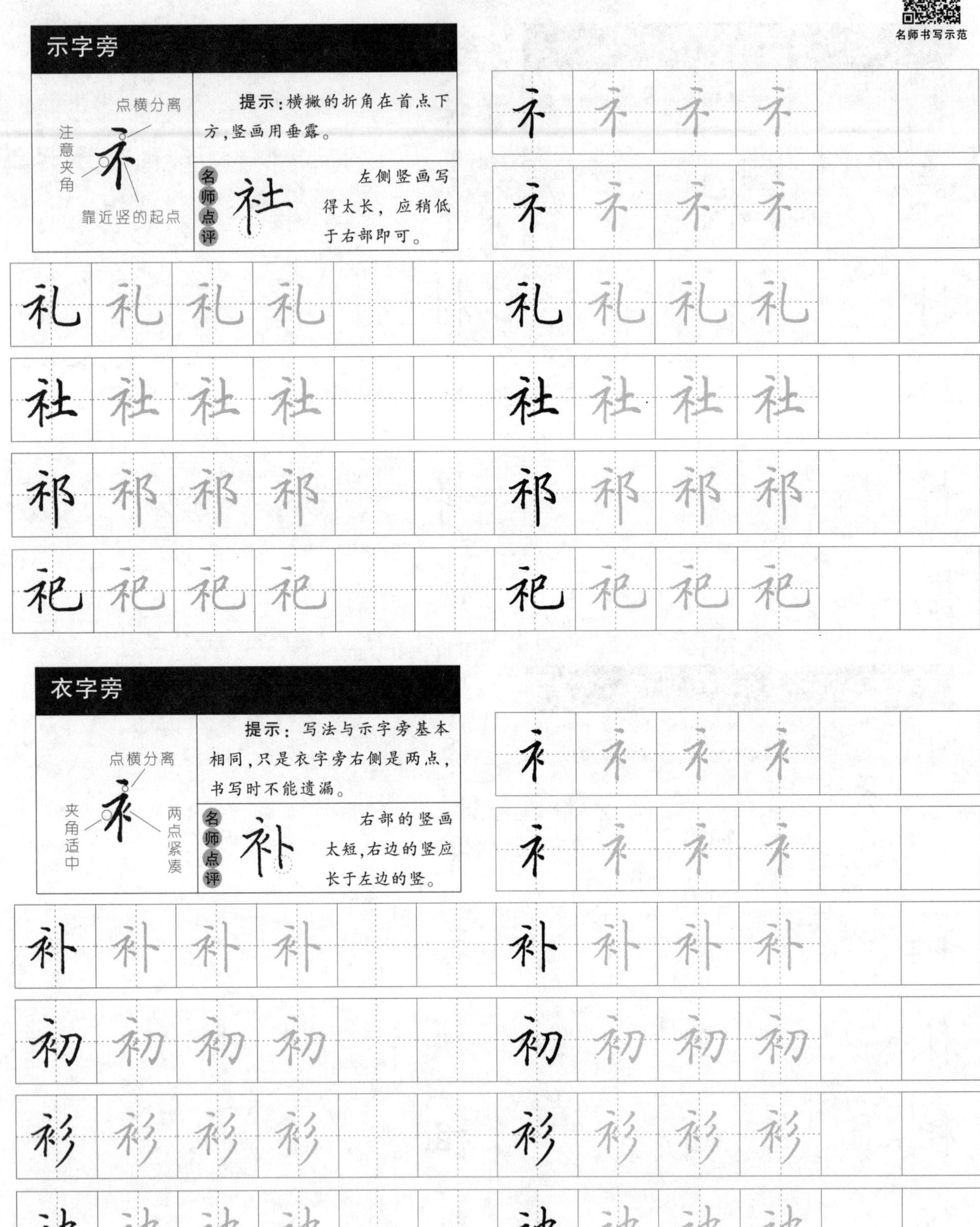

新手练字诀窍11

一个字中既有撇又有竖时，根据撇、竖的位置不同，书写的原则也不同。竖在左而撇在右时，则左竖收敛，右撇舒展；撇在左而竖在右时，应撇短竖长。

伊 升

偏旁：木字旁、禾字旁

名师书写示范

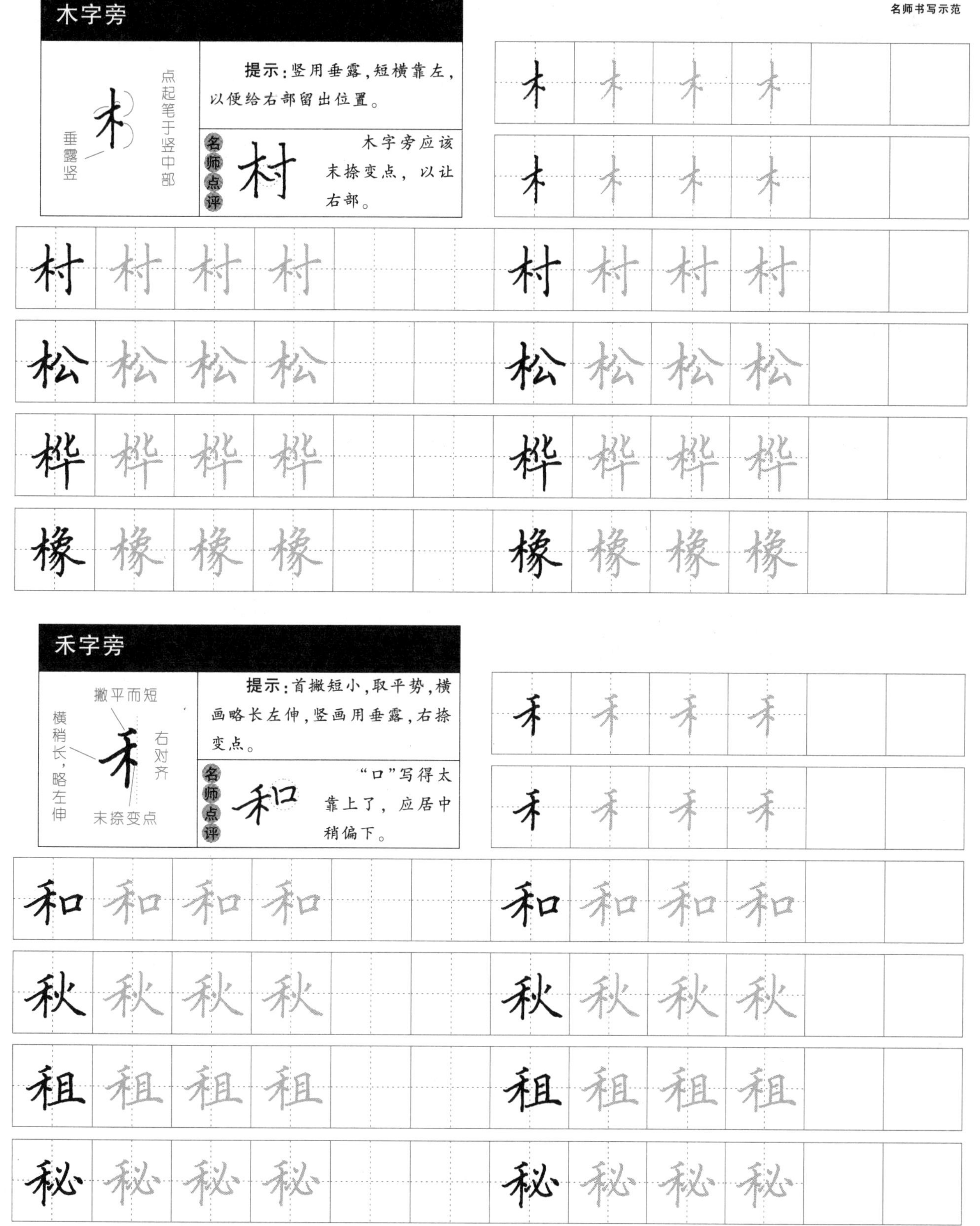

两岸青山相对出，孤帆一片日边来。

——李白《望天门山》

偏旁：土字旁、王字旁

名师书写示范

土字旁

形不宜大 扌 右对齐

提示："土"作左偏旁时，末横变提，提的角度要根据字形的需要而调整。

名师点评：地 土字旁写得过大，不美观，应适当缩小。

地 坎 培 堤

王字旁

横间距相等 王 末横变提 两横右仰

提示：上面两横扛肩，末横变为提，两短横和提之间间距相等。整体形窄。

名师点评：珍 王字旁写得略大且位置偏下，整体应取斜势。

现 珍 理 琪

书法逸事

梅妻鹤子　林逋喜欢用行书作诗，他自书的诗作，具有极高的艺术水平。他一生未娶，在西湖孤山隐居，种了许多梅花，养了一群仙鹤。他说："梅花是我的妻子，仙鹤是我的孩子，我的生活很充实，一点也不感觉孤独。"

偏旁：单人旁、双人旁

名师书写示范

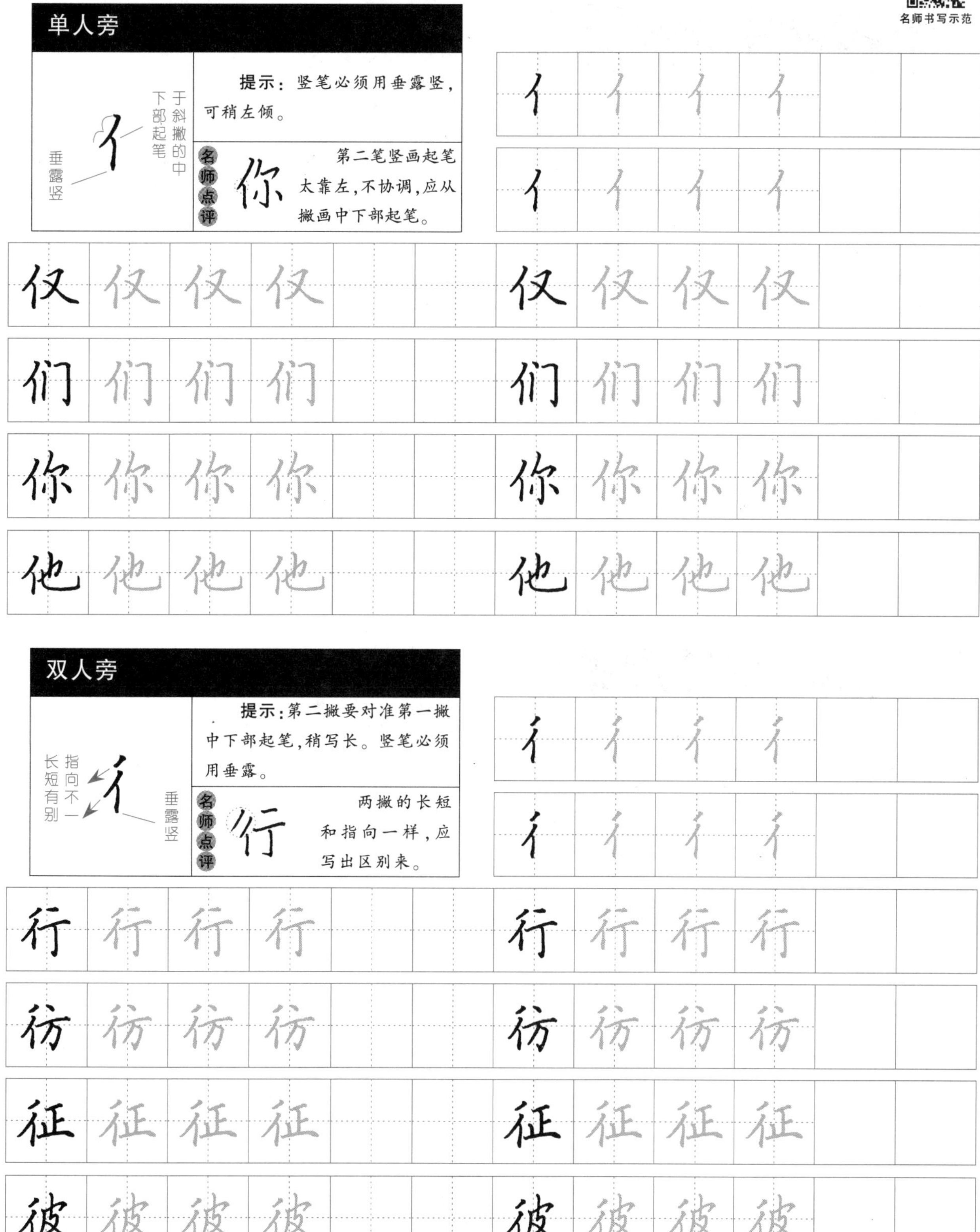

Booom

新手练字诀窍 10

在一个字中，撇画较多时，撇的长短、方向应有变化，参差不一，富有动感。如“象”字就有五个撇画，撇和撇之间并非简单的排列组合，而是各就其位，撇撇不一。

名师书写示范

偏旁：绞丝旁、言字旁

绞丝旁

两撇折上大下稍小

纟 右齐

提示：两撇折要写出区别，上大下稍小。末笔为提，出锋启右。

名师点评 红 右部写得过长过大，应短于左边，略扁小。

纟 纟 纟 纟

纟 纟 纟 纟

红 红 红 红 红 红 红 红

线 线 线 线 线 线 线 线

纸 纸 纸 纸 纸 纸 纸 纸

绿 绿 绿 绿 绿 绿 绿 绿

言字旁

点横相离

竖稍左斜

讠

提示：横折提的横画左低右高，折角与点相对。整体窄长，注意与右部的搭配。

名师点评 说 言字旁的横画应稍上斜，折笔应稍左斜。

讠 讠 讠 讠

讠 讠 讠 讠

让 让 让 让 让 让 让 让

计 计 计 计 计 计 计 计

说 说 说 说 说 说 说 说

诲 诲 诲 诲 诲 诲 诲 诲

人间四月芳菲尽，山寺桃花始盛开。

——白居易《大林寺桃花》

偏旁：两点水、三点水

名师书写示范

两点水

点、提呼应 轻提

提示：两笔画距离不要远，稍写紧凑，而提锋切忌长。

名师点评 凉 两点水的位置写得太偏下，应稍居上。

冰 冰 冰 冰 冰 冰 冰 冰

凉 凉 凉 凉 凉 凉 凉 凉

冲 冲 冲 冲 冲 冲 冲 冲

冯 冯 冯 冯 冯 冯 冯 冯

三点水

稍小 稍大 略呈弧形

提示：第三笔为提，注意提锋指向。三点不能在一条直线上，应略呈弧形。

名师点评 河 三点写得太散，应写紧凑，略呈弧形。

汉 汉 汉 汉 汉 汉 汉 汉

河 河 河 河 河 河 河 河

池 池 池 池 池 池 池 池

海 海 海 海 海 海 海 海

新手练字诀窍9 当一字之中有多个点画的时候，点画的配合最为重要。这些顾盼揖让和呼应给字形增加了生动活泼的意趣。如果点与点之间缺少呼应，就会显得平直死板，缺少变化。

偏旁：口字旁、日字旁

名师书写示范

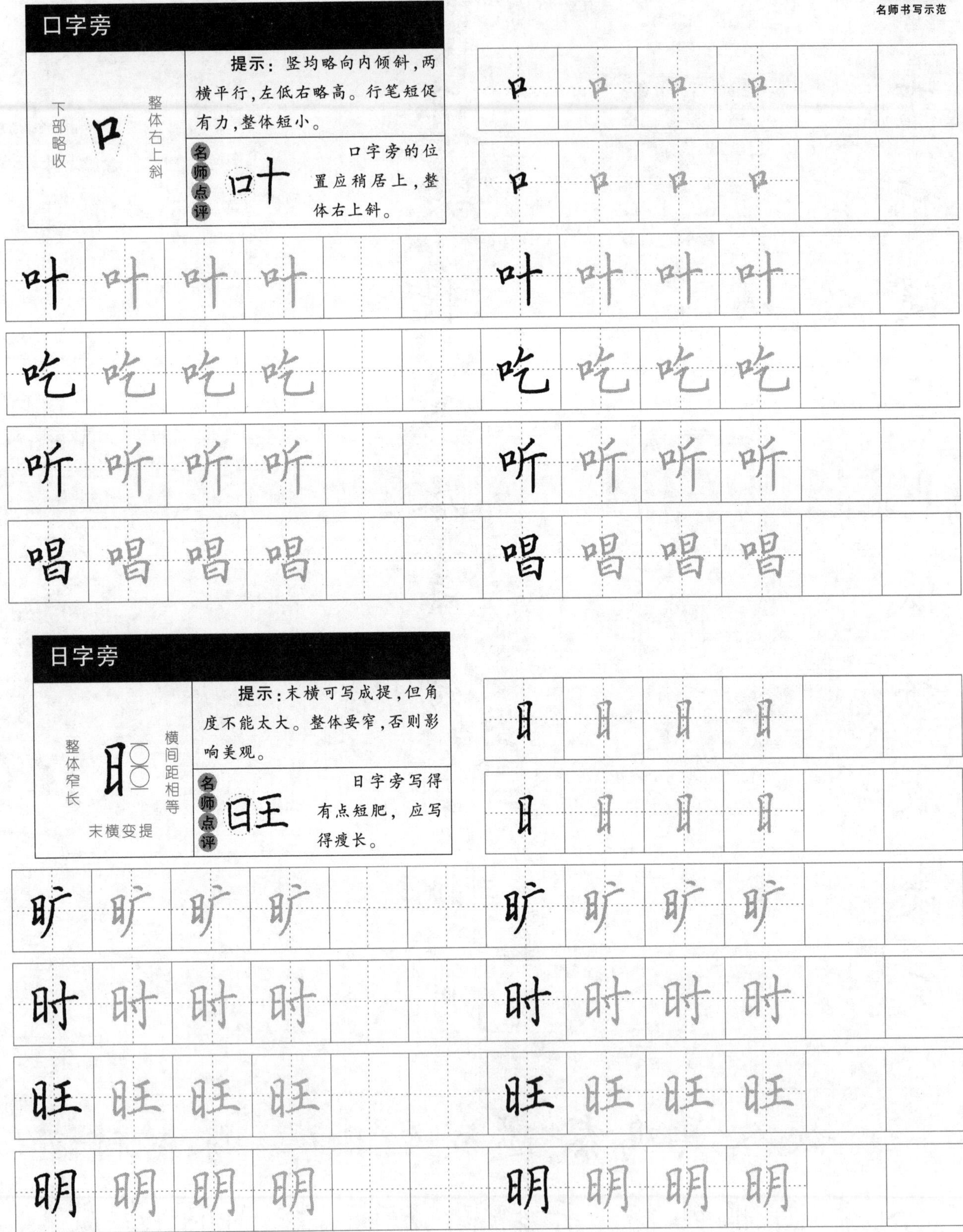

新手练字诀窍 12

“日”在字中可以作字头、字旁和字底。作字头和字底时，比作字旁时要扁而宽。其中作为字头的“日”应上宽下窄，上横长于末横；而作为字底的“日”通常三横基本等宽。

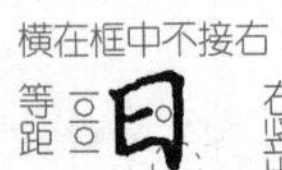

名师书写示范

强化训练(一)

丁	丁	丁	丁			京	京	京	京		
标	标	标	标			友	友	友	友		
建	建	建	建			提	提	提	提		
宝	宝	宝	宝			意	意	意	意		
也	也	也	也			尽	尽	尽	尽		
低	低	低	低			氛	氛	氛	氛		
杨	杨	杨	杨			级	级	级	级		
般	般	般	般			鸟	鸟	鸟	鸟		
麦	麦	麦	麦			挖	挖	挖	挖		
瓦	瓦	瓦	瓦			孙	孙	孙	孙		

故人具鸡黍,邀我至田家。绿树村边合,青山郭外斜。开轩面场圃,把酒话桑麻。待到重阳日,还来就菊花。

——孟浩然《过故人庄》

偏旁:目字旁、月字旁

名师书写示范

目字旁

平行等距 目 整体窄长

提示: 写法与日字旁类似,但形更瘦长。四个横画要写得平行且间距相等。

名师点评 眼 目字旁写得比右部宽,应写得窄长。

目 目 目 目

目 目 目 目

盯 盯 盯 盯　盯 盯 盯 盯

眼 眼 眼 眼　眼 眼 眼 眼

瞄 瞄 瞄 瞄　瞄 瞄 瞄 瞄

盼 盼 盼 盼　盼 盼 盼 盼

月字旁

横画等距 月 整体稍窄长

提示: 竖撇切勿写成斜撇。横折钩的竖画可略向内收,以显劲健。整体不宜宽。

名师点评 肚 月字旁的出钩太长,应写得小一点。

月 月 月 月

月 月 月 月

肚 肚 肚 肚　肚 肚 肚 肚

肝 肝 肝 肝　肝 肝 肝 肝

腊 腊 腊 腊　腊 腊 腊 腊

服 服 服 服　服 服 服 服

书法逸事

铁骨铮铮　文徵明是明代著名文学家、书画家,他从来不肯攀龙附凤,巴结权贵,是一位很有骨气的艺术家。他虽然以卖字画为生,但却给自己立下"平生三不肯应"的规矩,那就是字画不卖给权贵、官宦和外国人。

笔画：横折提、竖折折钩

名师书写示范

横折提

夹角宜小 竖略左斜

提示：起笔向右上写短横，顿笔折向左下写竖，再顿笔向右上写提。注意提要短、斜、出尖。

名师点评 话 点的位置太往右偏，竖画过于左倾。

话 话 话 话 话 话 话 话

词 词 词 词 词 词 词 词

语 语 语 语 语 语 语 语

误 误 误 误 误 误 误 误

竖折折钩

竖略左倾 上收下放

提示：下笔写短竖，顿笔折向右写横，再顿笔折向左下写竖钩。注意重心平稳。

名师点评 马 所有横画写得太平直，折钩折角太生硬。

与 与 与 与 与 与 与 与

马 马 马 马 马 马 马 马

写 写 写 写 写 写 写 写

焉 焉 焉 焉 焉 焉 焉 焉

书法逸事

边睡纸贵　林则徐28岁就以书法闻名。他因“虎门销烟”被清政府革职，谪戍新疆伊犁后，当地人纷纷向他索求墨宝。没过几个月，不但纸张告罄，就连可以写字的丝织品也被抢购一空，这在边疆一时传为佳话。

偏旁：竖心旁、提手旁

竖心旁

忄 ①②③ 起笔与左点齐平，略横向

提示：左点形似短竖，右点形似小横，两笔的起笔位置齐平，垂露竖劲挺有力。

名师点评 惊：两点的位置相距太远，应相互呼应，起点齐平。

忄	忄	忄	忄		
忄	忄	忄	忄		

怀	怀	怀	怀			怀	怀	怀	怀		
忧	忧	忧	忧			忧	忧	忧	忧		
惊	惊	惊	惊			惊	惊	惊	惊		
情	情	情	情			情	情	情	情		

提手旁

扌 竖画直挺 右对齐

提示：短横靠左，以给右侧留出位置，提画坚挺有力。整体窄长。

名师点评 打：竖钩写得太弯，不够直挺，横画右伸过多。

扌	扌	扌	扌		
扌	扌	扌	扌		

打	打	打	打			打	打	打	打		
拍	拍	拍	拍			拍	拍	拍	拍		
把	把	把	把			把	把	把	把		
排	排	排	排			排	排	排	排		

Boom 新手练字诀窍 13

字的笔画有先有后，要有序合理地书写。写楷书首先要熟悉笔顺，笔顺则字成。每一笔至末端，能顺势接下一笔的开始，这样更有利于提高书写速度。同时，笔顺正确与否关乎字的结构是否恰当，同时也是一篇文字能否美观的重要因素。

笔画：撇折、撇点

名师书写示范

撇折

不宜大
注意夹角

提示：撇、折均不长，其身忌大。注意两笔画间的夹角。

名师点评：允 上部写得过大，下部竖弯钩又太小，两部分不协调。

𠃋	𠃋	𠃋	𠃋		
𠃋	𠃋	𠃋	𠃋		

云	云	云	云			云	云	云	云		
允	允	允	允			允	允	允	允		
玄	玄	玄	玄			玄	玄	玄	玄		
私	私	私	私			私	私	私	私		

撇点

注意重心平稳

提示：形稍左倾，撇、点连成一笔。注意与其他部分配合时的长短、角度变化。

名师点评：娱 女字旁的提画右边不应出头，影响右部。

𡿨	𡿨	𡿨	𡿨		
𡿨	𡿨	𡿨	𡿨		

女	女	女	女			女	女	女	女		
妥	妥	妥	妥			妥	妥	妥	妥		
巡	巡	巡	巡			巡	巡	巡	巡		
娱	娱	娱	娱			娱	娱	娱	娱		

孤帆远影碧空尽，唯见长江天际流。

——李白《黄鹤楼送孟浩然之广陵》

名师书写示范

偏旁：石字旁、足字旁

石字旁

横短　整体稍窄　石

提示：横画短，斜撇稍长；“口”写小巧，上宽下窄。整体略向右上方取斜势。

名师点评　码　石字旁的位置写得太靠下，应写得偏上一点。

石	石	石	石		
石	石	石	石		

矿	矿	矿	矿			矿	矿	矿	矿		
码	码	码	码			码	码	码	码		
破	破	破	破			破	破	破	破		
砸	砸	砸	砸			砸	砸	砸	砸		

足字旁

整体稍窄　形不宜大　足　右齐

提示：“口”不宜大，下面左竖略低于右竖，最后一笔为提画。

名师点评　跑　足字旁写得略大，提画应向右上方出锋。

𧾷	𧾷	𧾷	𧾷		
𧾷	𧾷	𧾷	𧾷		

跑	跑	跑	跑			跑	跑	跑	跑		
跳	跳	跳	跳			跳	跳	跳	跳		
踢	踢	踢	踢			踢	踢	踢	踢		
蹦	蹦	蹦	蹦			蹦	蹦	蹦	蹦		

BOOOM 新手练字诀窍 14

如何把竖画写直？首先坐姿要正确，头正、肩平、身直，本子要放正。本子歪，身体歪，手对笔的控制也会出现偏差，竖自然不容易写直。其次，练字时要有正确的书写方法。最后，找好参照物，如果是用田字格书写，可以参照田字格的竖中线来书写，这样竖就容易写直了。

笔画：横折弯钩、横折折撇

名师书写示范

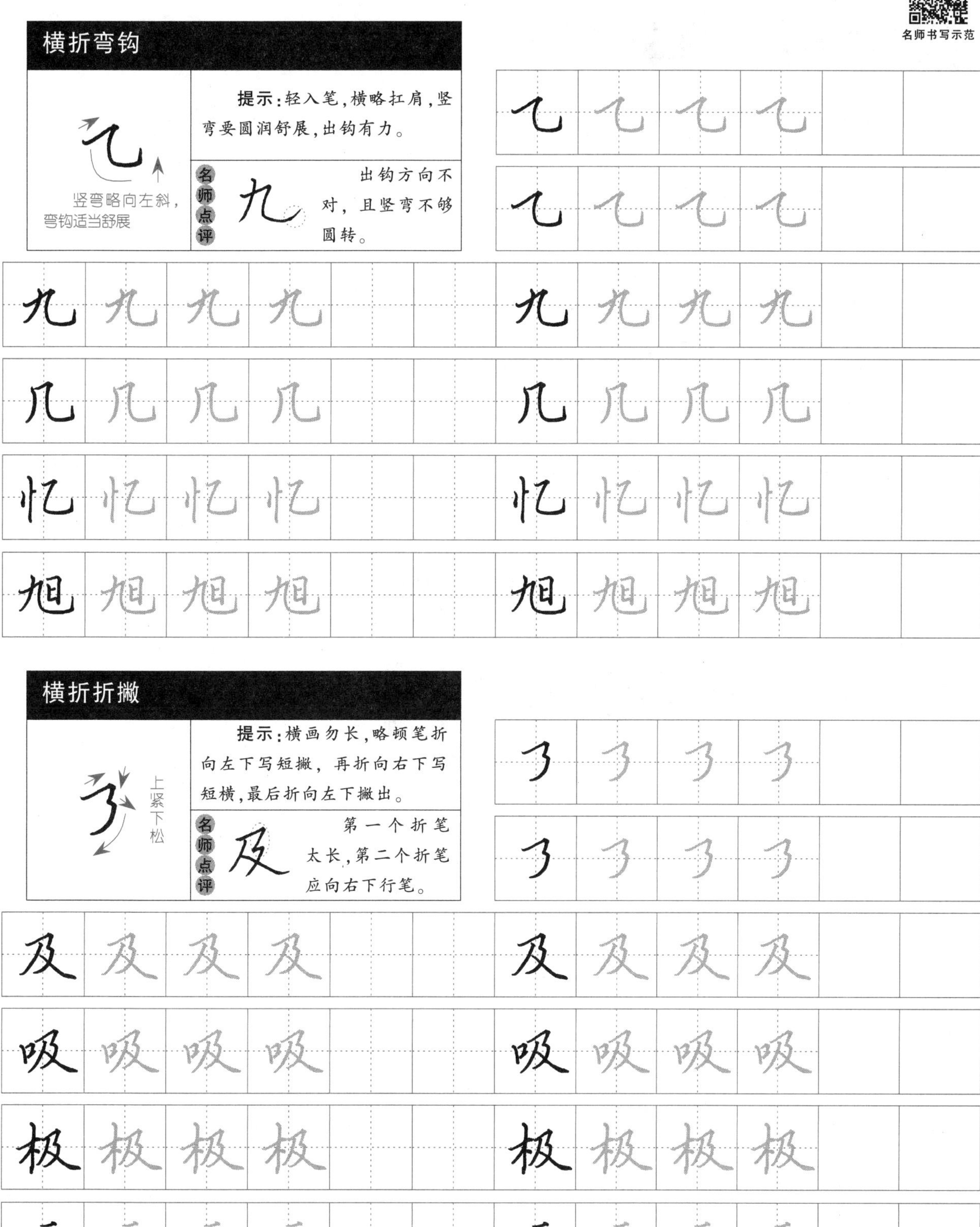

横折弯钩

竖弯略向左斜，弯钩适当舒展

提示：轻入笔，横略扛肩，竖弯要圆润舒展，出钩有力。

名师点评：出钩方向不对，且竖弯不够圆转。

乙 九 几 忆 旭

横折折撇

上紧下松

提示：横画勿长，略顿笔折向左下写短撇，再折向右下写短横，最后折向左下撇出。

名师点评：第一个折笔太长，第二个折笔应向右下行笔。

及 吸 极 廷

新手练字诀窍 8

想要高效练字，事半功倍，就要努力保持静心的状态。安静的环境、明亮的灯光、轻松优美的音乐，都可以帮助我们营造良好的练字氛围。可以结交一些对书法有兴趣的学友，互相交流切磋。悬挂优秀的书法作品等，也可起到潜移默化的作用。

名师书写示范

偏旁：弓字旁、马字旁

弓字旁

弓 等距 上紧下松

提示：三横左低右略高，三竖都向左微斜。整体要写得瘦而窄。

名师点评 张 弓字旁的竖画写得太正，应略带斜势。

弓	弓	弓	弓		
弓	弓	弓	弓		

引	引	引	引			引	引	引	引		
张	张	张	张			张	张	张	张		
弛	弛	弛	弛			弛	弛	弛	弛		
强	强	强	强			强	强	强	强		

马字旁

马 末横变提左伸 整体窄长

提示：竖画均略向左倾，提画略向右上方倾斜。整体上窄下略宽。

名师点评 驴 马字旁整体写得过长，上下大小宽窄要有变化。

马	马	马	马		
马	马	马	马		

驭	驭	驭	驭			驭	驭	驭	驭		
驴	驴	驴	驴			驴	驴	驴	驴		
驼	驼	驼	驼			驼	驼	驼	驼		
驳	驳	驳	驳			驳	驳	驳	驳		

烟笼寒水月笼沙，夜泊秦淮近酒家。

——杜牧《泊秦淮》

名师书写示范

笔画：横撇、横折弯

横撇

横稍斜
撇有弧度
夹角宜小

提示：横略扛肩，撇有弧度，收笔出锋。横短撇长，横、撇间的角度不宜大。

名师点评：各　撇画写得有点短，应注意与捺画的呼应。

反	反	反	反			反	反	反	反		
各	各	各	各			各	各	各	各		
务	务	务	务			务	务	务	务		
枝	枝	枝	枝			枝	枝	枝	枝		

横折弯

横稍短，竖弯角度约 90°，不能上翘或出钩

提示：两个横向笔画角度不一，上横斜度较大。

名师点评：朵　横折弯、竖画是不出钩的，此处需注意。

朵	朵	朵	朵			朵	朵	朵	朵		
没	没	没	没			没	没	没	没		
沿	沿	沿	沿			沿	沿	沿	沿		
铅	铅	铅	铅			铅	铅	铅	铅		

新手练字诀窍 7

学习正确的握笔姿势很重要，正确的姿势更有利于把握笔的走向。用拇指和食指的指肚与中指的侧面分别从三个不同方向捏住笔杆的下端，手指距笔尖一寸，使笔与纸面成约 45°，使笔尖灵活而又不失稳定地听从手的指挥。

偏旁：火字旁、女字旁

名师书写示范

火字旁

提示：左点稍低，右点稍高，第三笔为竖撇，末捺改点以让右。注意笔画的先后顺序。

名师点评：灯 右部横画的起笔过高，应适当下移。

火	火	火	火		
火	火	火	火		

灯	灯	灯	灯			灯	灯	灯	灯		
炸	炸	炸	炸			炸	炸	炸	炸		
烦	烦	烦	烦			烦	烦	烦	烦		
烽	烽	烽	烽			烽	烽	烽	烽		

女字旁

提示：在左侧时，末横变提，左伸以让右，但是收笔时不得超过撇画，即不得出头。

名师点评：妞 女字旁不应写得比右部大，大小应基本一致。

女	女	女	女		
女	女	女	女		

好	好	好	好			好	好	好	好		
妞	妞	妞	妞			妞	妞	妞	妞		
妈	妈	妈	妈			妈	妈	妈	妈		
婚	婚	婚	婚			婚	婚	婚	婚		

书法逸事

怀素练字 唐代著名书法家怀素，练字时非常刻苦。他种了很多芭蕉，用芭蕉叶当纸，昼夜习字，因而以“绿天庵”作为居所的名称。他把写秃的笔头集中埋起来，起名为“笔冢”。

笔画：横折斜钩、横折折折钩

名师书写示范

横折斜钩

斜钩弯度适中　出钩有力

提示：横画略扛肩，斜钩的弯度因字而异，要自然舒展。

名师点评 斜钩太僵硬，弧度可再大一些，便于两点依托。

飞　凰　凤　讯

横折折折钩

斜而不倒

提示：由横折和横折钩组成，上紧下松，上扬下斜，整体一笔写成。

名师点评 撇应为斜撇，且第二个折笔处应向右下行笔。

乃　仍　扔　奶

书法逸事

钟繇学书　钟繇是三国时魏国大臣、书法家。相传，他发现韦诞有蔡邕写的《笔法》，但又无法得到，捶胸三日，吐血，经曹操用“五灵丹”救治才幸免于死。韦诞去世后，他派人偷挖韦诞的坟墓，才将此书弄到手，从此日夜练习。

偏旁:食字旁、金字旁

名师书写示范

食字旁

撇稍长　不宜太大　稍左斜

提示: 上部斜而平稳,覆盖下部,竖提与横钩相对。整体宜瘦长。

名师点评　饥　竖提的提应再长一点,竖要直挺,略左倾。

饣 饣 饣 饣
饣 饣 饣 饣
饥 饥 饥 饥　饥 饥 饥 饥
饮 饮 饮 饮　饮 饮 饮 饮
饭 饭 饭 饭　饭 饭 饭 饭
饿 饿 饿 饿　饿 饿 饿 饿

金字旁

上紧下松　平行等距　竖略偏左

提示: 三横略扛肩,竖提略向左斜,三个横画的间距基本均匀,上紧下松。

名师点评　钢　右部不应与左部齐平,应略低于左部。

钅 钅 钅 钅
钅 钅 钅 钅
钢 钢 钢 钢　钢 钢 钢 钢
钳 钳 钳 钳　钳 钳 钳 钳
钩 钩 钩 钩　钩 钩 钩 钩
银 银 银 银　银 银 银 银

银烛秋光冷画屏,轻罗小扇扑流萤。

——杜牧《秋夕》

笔画：弧弯钩、竖提

名师书写示范

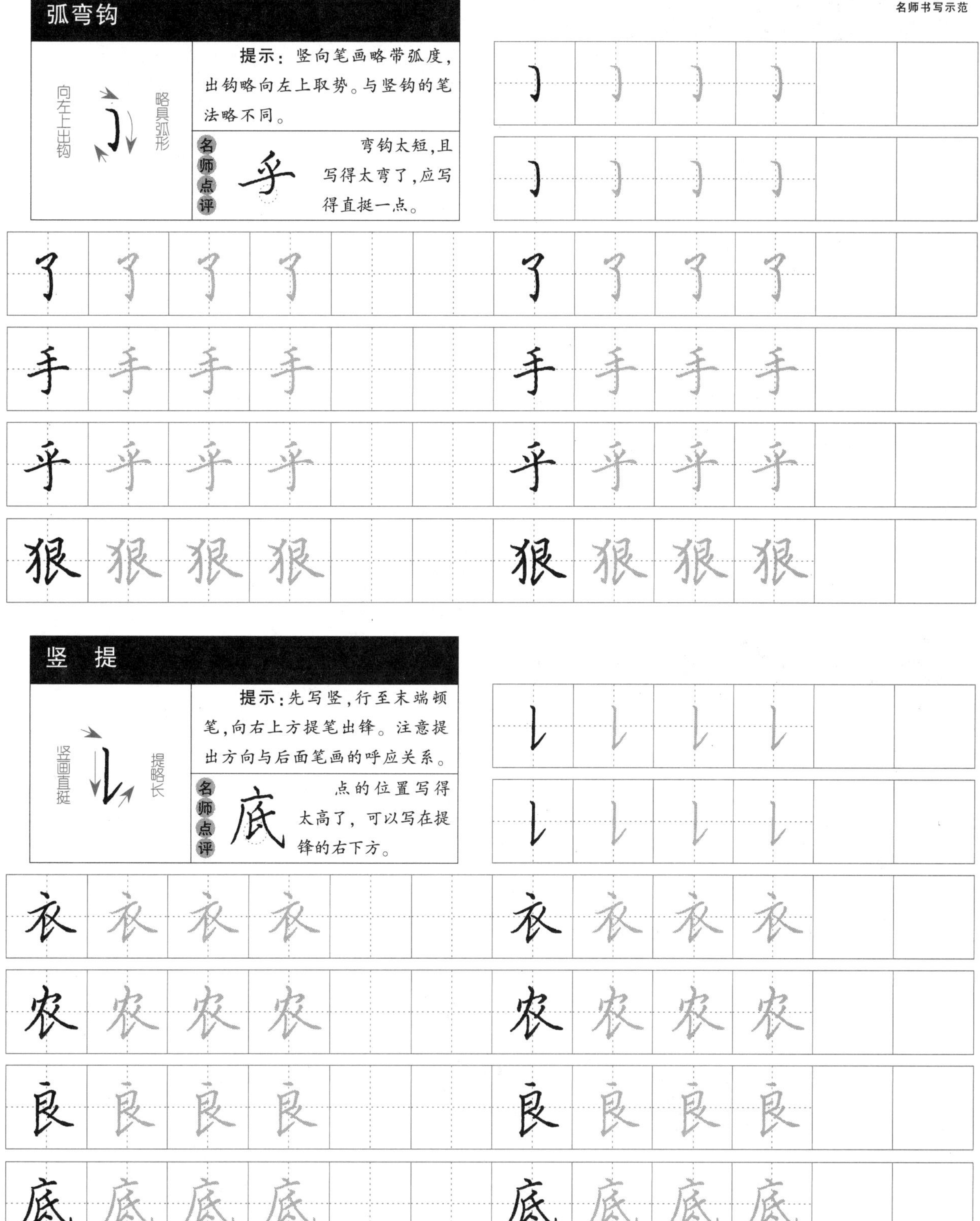

独在异乡为异客，每逢佳节倍思亲。

——王维《九月九日忆山东兄弟》

偏旁：车字旁、左耳旁

车字旁

三横平行　①②③④ 车　右齐　忌用悬针

提示：横画均左低右高，竖画必须写直，用垂露竖。整体要写得狭长。

名师点评：轨　横画应该写得平行一致，整体更美观。

车	车	车	车		
车	车	车	车		

轨	轨	轨	轨			轨	轨	轨	轨		
轮	轮	轮	轮			轮	轮	轮	轮		
轻	轻	轻	轻			轻	轻	轻	轻		
转	转	转	转			转	转	转	转		

左耳旁

居上位　垂露竖　阝　弯钩宜小

提示：弯钩不要写得太大，竖笔要垂直，并为垂露竖。

名师点评：陌　左耳旁写得太大，与右部不协调。

阝	阝	阝	阝		
阝	阝	阝	阝		

陪	陪	陪	陪			陪	陪	陪	陪		
陌	陌	陌	陌			陌	陌	陌	陌		
阴	阴	阴	阴			阴	阴	阴	阴		
陈	陈	陈	陈			陈	陈	陈	陈		

新手练字诀窍 15

“车”作左偏旁时形体更加瘦长，横画左伸让右，书写笔顺也发生了变化。车字旁的笔顺是“一 𠂉 ⺧ 车”，最后一笔是提；“车”字的笔顺是“一 𠂉 ⺧ 车”，最后一笔是竖。

车　轩

笔画：竖折、竖弯钩

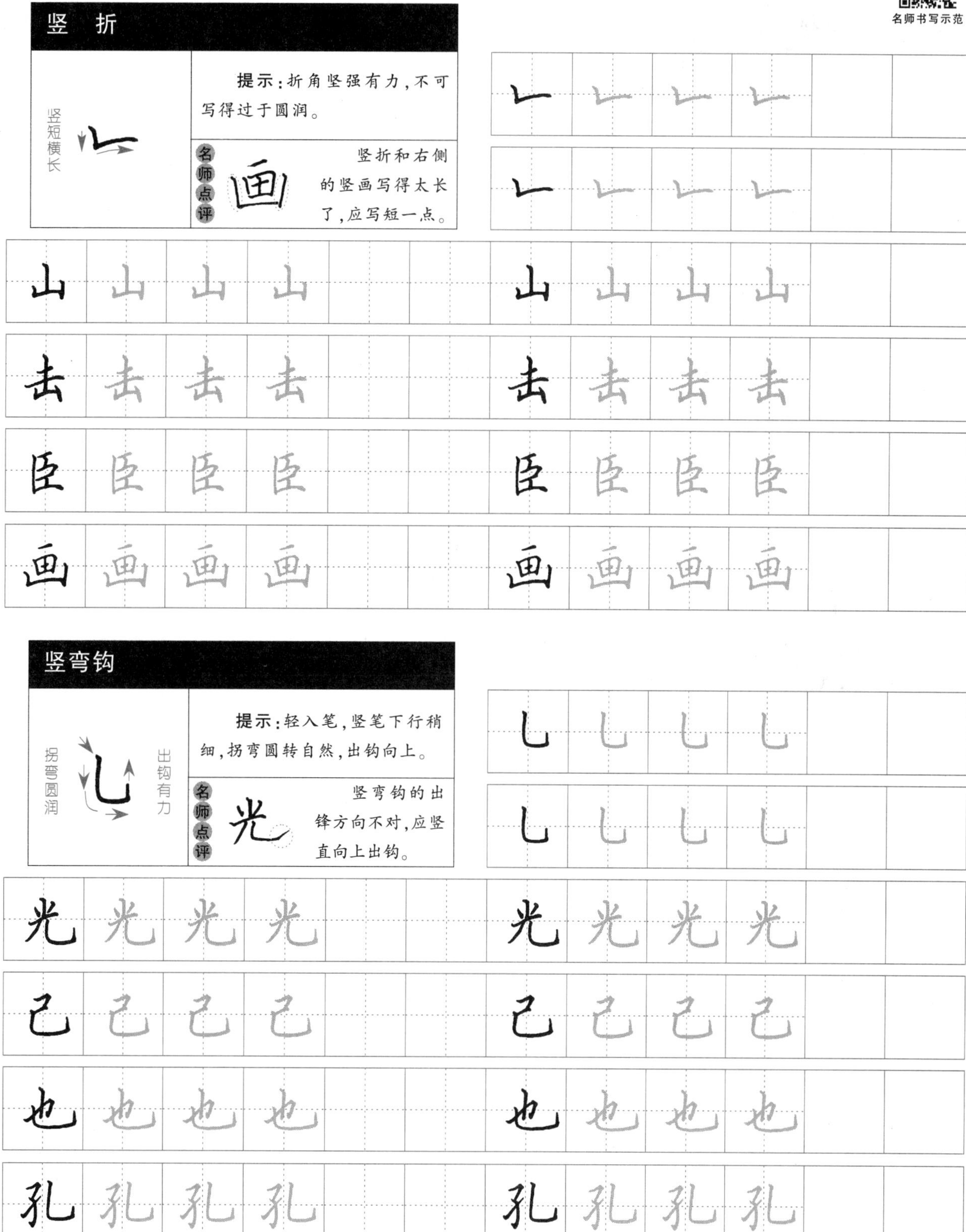

新手练字诀窍6

我们把字中最出彩的笔画叫作“主笔”，写好主笔很重要。主笔可以理解为这个字中的“点睛之笔”，这个笔画写出彩了，一个字就写成功了一半。常作主笔的笔画有长横、垂露竖、悬针竖、斜钩、竖钩、竖弯钩、长撇、长捺等。

偏旁：右耳旁、单耳旁

名师书写示范

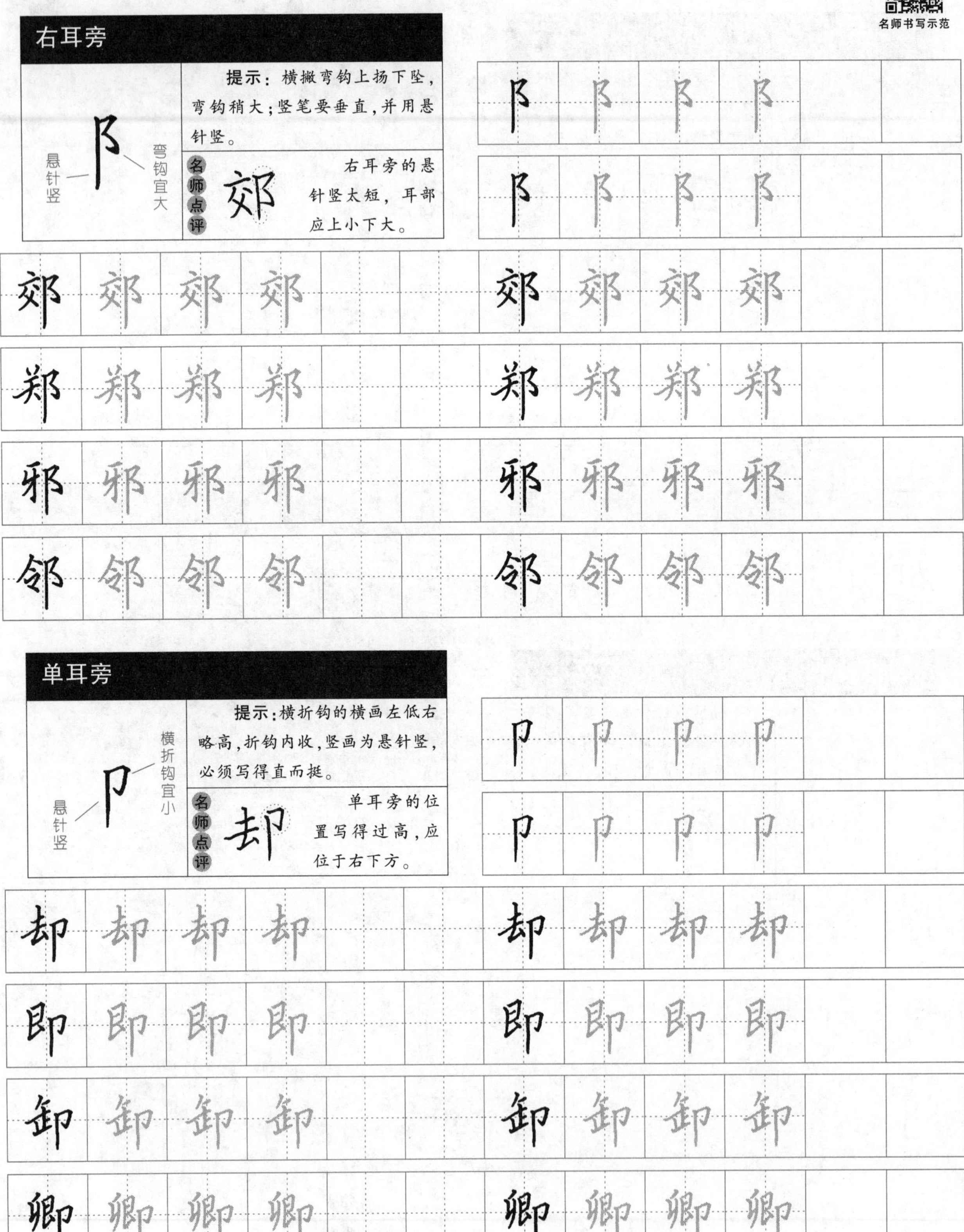

新手练字诀窍 16

耳刀在左和在右时写法不同，一般要根据左右位置的不同来决定其大小。一般情况，在左时，耳钩应写得小巧；在右时，耳钩则应写大。在字中的位置也不尽相同。居右的耳刀一般比居左的耳刀位置稍低。

队 小　郧 大

笔画：横折、横折钩

名师书写示范

横折

稍驻折笔左下行
横画由轻到重

提示：轻入笔，转折处稍顿笔，向下行笔时略向左斜。在不同字中横、竖长短有变化。

名师点评：日　右竖不应与左竖一样长，右竖应稍长于左竖。

𠃍 𠃍 𠃍 𠃍
𠃍 𠃍 𠃍 𠃍

口 口 口 口　口 口 口 口
日 日 日 日　日 日 日 日
丑 丑 丑 丑　丑 丑 丑 丑
因 因 因 因　因 因 因 因

横折钩

折钩直挺
出钩有力

提示：拐弯的角度是这一笔的关键，不同的字有不同写法。多数折角宜方，折钩直挺。

名师点评：雨　横折钩的折笔太僵直，应稍微向内斜。

𠃌 𠃌 𠃌 𠃌
𠃌 𠃌 𠃌 𠃌

刀 刀 刀 刀　刀 刀 刀 刀
司 司 司 司　司 司 司 司
间 间 间 间　间 间 间 间
雨 雨 雨 雨　雨 雨 雨 雨

Booom 新手练字诀窍5

初学练字，建议初学者选择临摹本、米字格本或者田字格本搭配练习。在透明白纸上摹写范字，可以较好地帮助初学者学习范字结构。米字格与田字格中的辅助线可以帮助初学者掌握笔画起笔与落笔的位置、笔画走向、偏旁间的位置关系等。

偏旁：立刀旁、反文旁

名师书写示范

立刀旁

提示：左为短竖，稍居上；右竖钩劲挺有力，出钩不宜太长。

名师点评：利 立刀旁的两竖笔距离太远。

反文旁

提示：首撇稍有竖势，横画扛肩，次撇与首撇方向一致，撇、捺伸展。

名师点评：故 反文旁的捺画写得不够舒展，应拉长。

书法逸事

柳公权笔谏 一天，皇帝问大书法家柳公权怎样才能把字写好。柳公权答道："用笔在心，心正则笔正。"意思是说：字要写得好，品行首先要端正，人品好了，字就容易写好。皇帝从柳公权的话中悟出了写字同做人的联系，从此更勤于朝政了。

笔画：斜钩、卧钩

名师书写示范

斜钩

注意角度、方向
略带弧度
忌直行

提示： 斜钩弧度应适当，大胆拉长，最忌写短。通常在字中作主笔。

名师点评 戈 斜钩太过弯曲，作主笔应写得直挺有力。

戈 戈 戈 戈　戈 戈 戈 戈

伐 伐 伐 伐　伐 伐 伐 伐

我 我 我 我　我 我 我 我

成 成 成 成　成 成 成 成

卧钩

注意两个角度

提示： 用笔由轻到重，最后向左上方迅速勾出，整体呈环抱之势。

名师点评 心 卧钩的出钩过于圆转，应尖锐有力。

心 心 心 心　心 心 心 心

必 必 必 必　必 必 必 必

怎 怎 怎 怎　怎 怎 怎 怎

思 思 思 思　思 思 思 思

书法逸事

六指才子　祝允明是江南吴中四才子之一，因右手有六指，被称为“六指才子”。相传他曾为一个欺压百姓的财主写对联，内容是“此地安可居住，其人好不悲伤”。财主质问，他断句为“此地安，可居住；其人好，不悲伤”，财主无言以对。

偏旁：草字头、竹字头

名师书写示范

草字头

上放下收 ①②③ 艹 长 短

提示：两竖要上展下收，右竖形似竖撇，横笔的长短根据下部笔画的情况而定。

名师点评 草 末笔竖画太短，长横的位置太靠下，需修正。

艹 艹 艹 艹

艹 艹 艹 艹

花 花 花 花 花 花 花 花

草 草 草 草 草 草 草 草

莫 莫 莫 莫 莫 莫 莫 莫

蒙 蒙 蒙 蒙 蒙 蒙 蒙 蒙

竹字头

左低右高 ⺮ 大小基本一样

提示：左右两部分的笔法形态稍有不同，要左低右高。注意间距勿太开。

名师点评 笑 竹字头两部间距太开，与下部不协调。

⺮ ⺮ ⺮ ⺮

⺮ ⺮ ⺮ ⺮

竿 竿 竿 竿 竿 竿 竿 竿

笑 笑 笑 笑 笑 笑 笑 笑

笨 笨 笨 笨 笨 笨 笨 笨

笃 笃 笃 笃 笃 笃 笃 笃

Boom 新手练字诀窍 17

书法中讲临摹，摹即描红，临是对照原帖在本子上写。临帖时可以从这几个维度去将自己的字和原帖作对比：1.笔画位置；2.笔画长度；3.笔画角度；4.用笔力度；5.用笔速度；6.用笔弧度。

笔画：横钩、竖钩

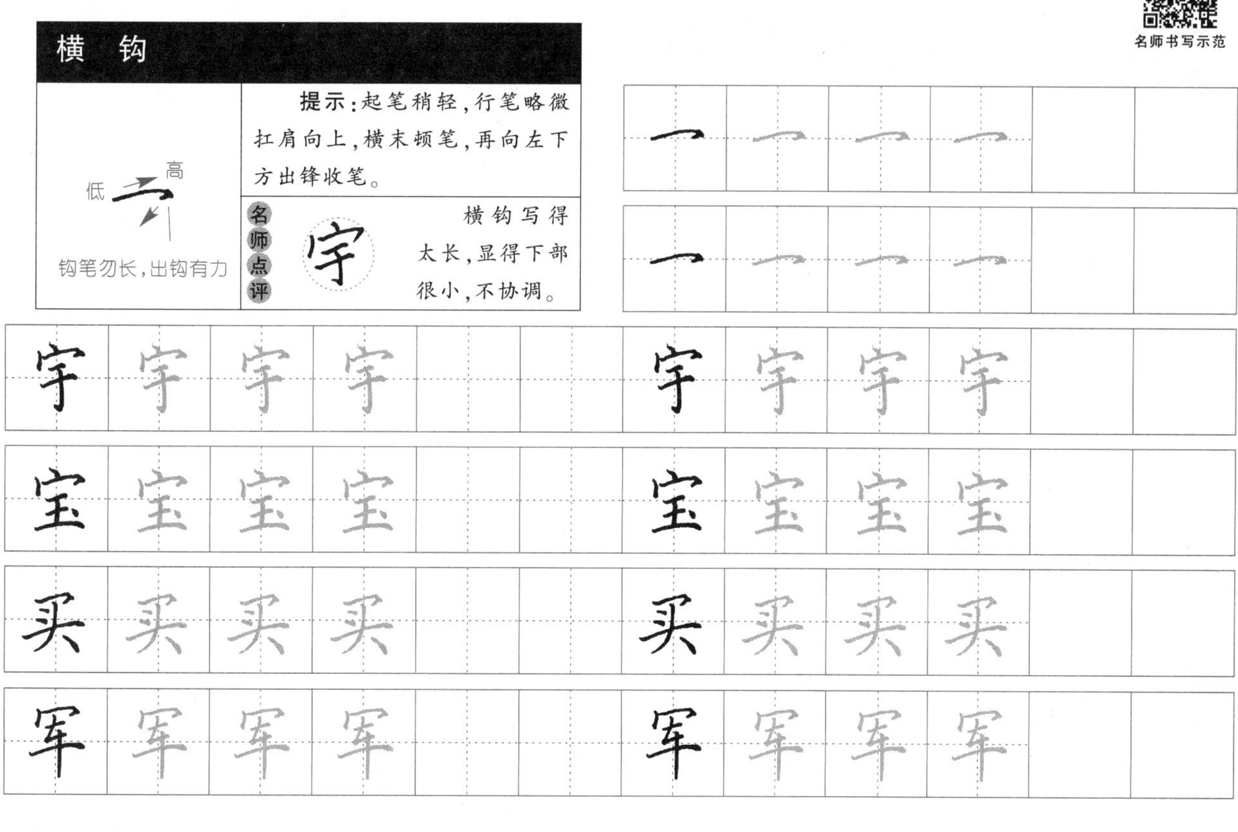

黄沙百战穿金甲，不破楼兰终不还。

——王昌龄《从军行七首(其四)》

偏旁：宝盖头、穴宝盖

名师书写示范

宝盖头

点居中

横长略上凸

提示：首点居中，横画稍细。下面有横向长笔画时，宝盖宜窄；反之，宝盖宜宽。

名师点评：宁 下部的横画太长，应短于宝盖头。

宀 宀 宀 宀

宀 宀 宀 宀

宁 宁 宁 宁　宁 宁 宁 宁

安 安 安 安　安 安 安 安

守 守 守 守　守 守 守 守

家 家 家 家　家 家 家 家

穴宝盖

笔势向下

首点居中

提示：写法类似宝盖头，下面的撇、点上靠以让下部。整体不要过大。

名师点评：究 穴宝盖的两点应写小，且应左低右略高。

穴 穴 穴 穴

穴 穴 穴 穴

究 究 究 究　究 究 究 究

突 突 突 突　突 突 突 突

穿 穿 穿 穿　穿 穿 穿 穿

窍 窍 窍 窍　窍 窍 窍 窍

新手练字诀窍 18

进行临帖练习时，对照字帖上的范字往本子上写，初期应选择精临，每行写一个相同的字，单字练习不超过三行。写字时应静心对比，初期练习应做到看一笔写一笔，力争越写越像，有所进步，而非千篇一律。

笔画：长提、短提

名师书写示范

长提

起笔稍顿　转向提笔

提示：注意在不同字中的长短和提笔的走向，特别是与其他笔画的呼应。

名师点评：习　提的方向不对，应对准折角处用力上提。

习 习 习 习　习 习 习 习

子 子 子 子　子 子 子 子

叨 叨 叨 叨　叨 叨 叨 叨

孜 孜 孜 孜　孜 孜 孜 孜

短提

注意提笔的走向

提示：写法与长提一样，但形较长提短。

名师点评：玩　提笔出锋过长，影响了右部撇画的伸展。

垃 垃 垃 垃　垃 垃 垃 垃

坤 坤 坤 坤　坤 坤 坤 坤

玩 玩 玩 玩　玩 玩 玩 玩

扫 扫 扫 扫　扫 扫 扫 扫

新手练字诀窍 4　工欲善其事，必先利其器。新手初练字时，可选用粗细适中的钢笔或中性笔。因为笔尖过细，无法展示线条的美感，而笔尖过粗则新手难以驾驭，所以入门练字用笔粗细可控制在 0.5mm~0.7mm 之间。

偏旁：广字头、病字头

名师书写示范

何当共剪西窗烛，却话巴山夜雨时。

——李商隐《夜雨寄北》

笔画：正捺、平捺

名师书写示范

洛阳亲友如相问，一片冰心在玉壶。

——王昌龄《芙蓉楼送辛渐》

偏旁：人字头、雨字头

名师书写示范

书法逸事

女皇造字　武则天是我国历史上唯一一位正统女皇帝。她在书法上也敢于创新，造了很多新字，如“曌”字。她改名为武曌，表示自己像日月一样永远悬挂在天空之上。她曾经三令五申要求臣民使用这些新字，但她一倒台，这些字也就不用了。

笔画：竖撇、长撇

名师书写示范

书法逸事

兄弟不相争　明代沈粲和与其兄长沈度同在翰林院做学士。沈粲擅长真、行、草诸体，但因他是兄长沈度举荐给皇帝的，所以对哥哥特别尊敬。在字体方面，因兄长擅长真、行诸体，他总是有意与兄长避开，多习草书，以免兄弟相争。

偏旁：四点底、心字底

名师书写示范

四点底

四点间距均匀　小　此点突出

提示：第一点为左点，其余都为右点，中间两点略小。各点间距均匀，各具形态。

名师点评　点　四点写得一样，应有变化，顾盼呼应。

灬 灬 灬 灬　灬 灬 灬 灬

点 点 点 点　点 点 点 点

杰 杰 杰 杰　杰 杰 杰 杰

焦 焦 焦 焦　焦 焦 焦 焦

然 然 然 然　然 然 然 然

心字底

稍下沉　三点呼应　平卧

提示：三点笔意呼应，卧钩曲折有致。在字中整体应稍靠右，这样显得造型生动，富有变化。

名师点评　忘　心字底的末点写得太偏下，应写得高一些。

心 心 心 心　心 心 心 心

忍 忍 忍 忍　忍 忍 忍 忍

忘 忘 忘 忘　忘 忘 忘 忘

忠 忠 忠 忠　忠 忠 忠 忠

悉 悉 悉 悉　悉 悉 悉 悉

Booom **新手练字诀窍19**

练字，要讲求“一字百练，少而求像”，而不是“百字一练，多而不像”。需要注意的是，精练时最好选取同类字（例如五个都带撇的字、五个都带长横的字），这样可以达到强化同一个知识点的目的。

笔画：垂露竖、悬针竖

名师书写示范

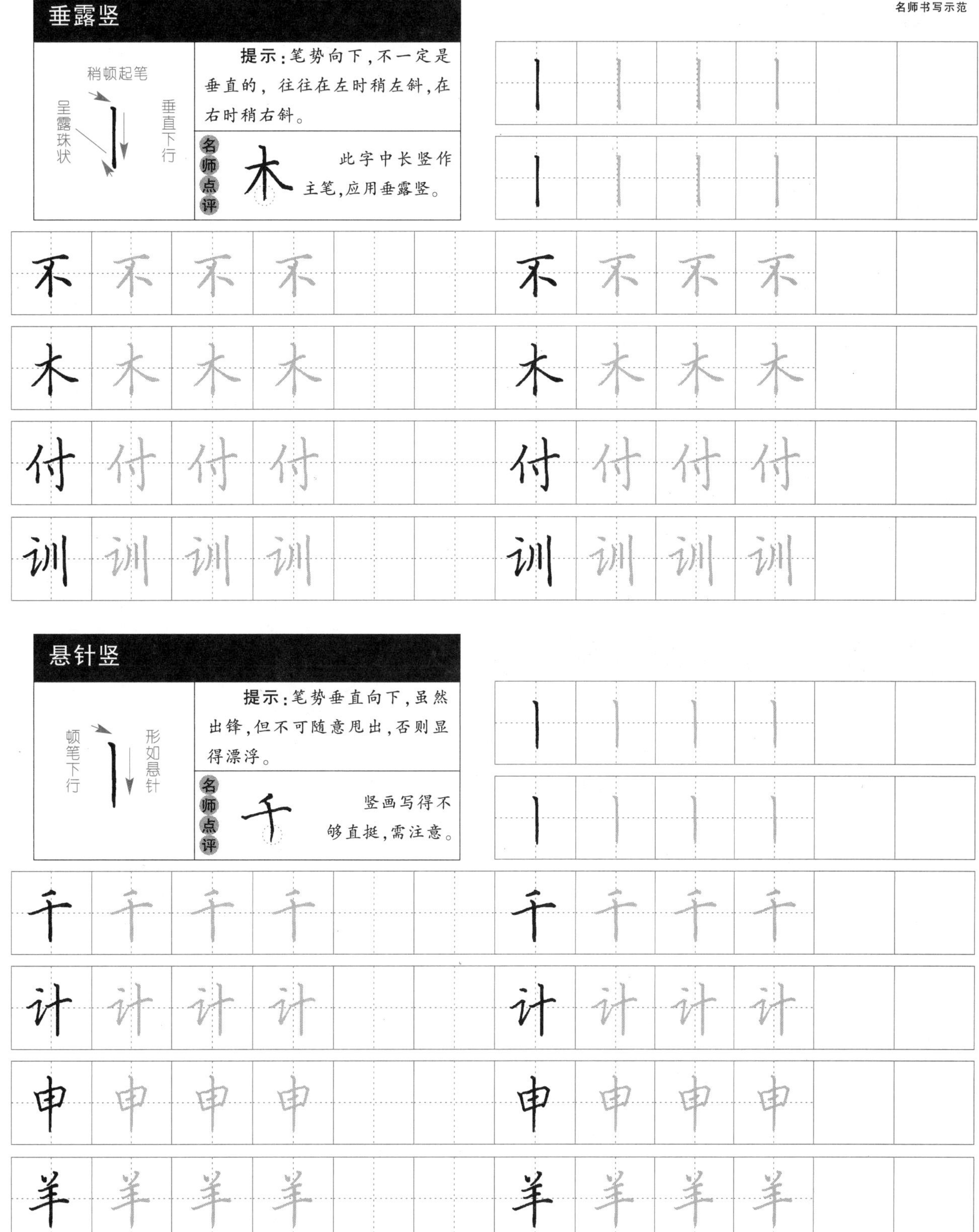

新手练字诀窍 3

写字时横竖不直，是许多初学者的通病。建议在握笔姿势正确的情况下，进行一至两周的笔画专项练习及相应的线条练习，平日书写则应按练习时所学方法进行书写，从而逐渐纠正不良书写习惯。

偏旁：走之底、走字底

名师书写示范

新手练字诀窍20

捺画在字中一般都比较出彩。一字之中有两个捺画时，如果它们同时突出，不能相互呼应，会影响字的整体美观。所以一般要进行化简或避让，保留其中起关键作用的捺画（主笔），而将另一个捺改写为反捺。

笔画：长横、短横

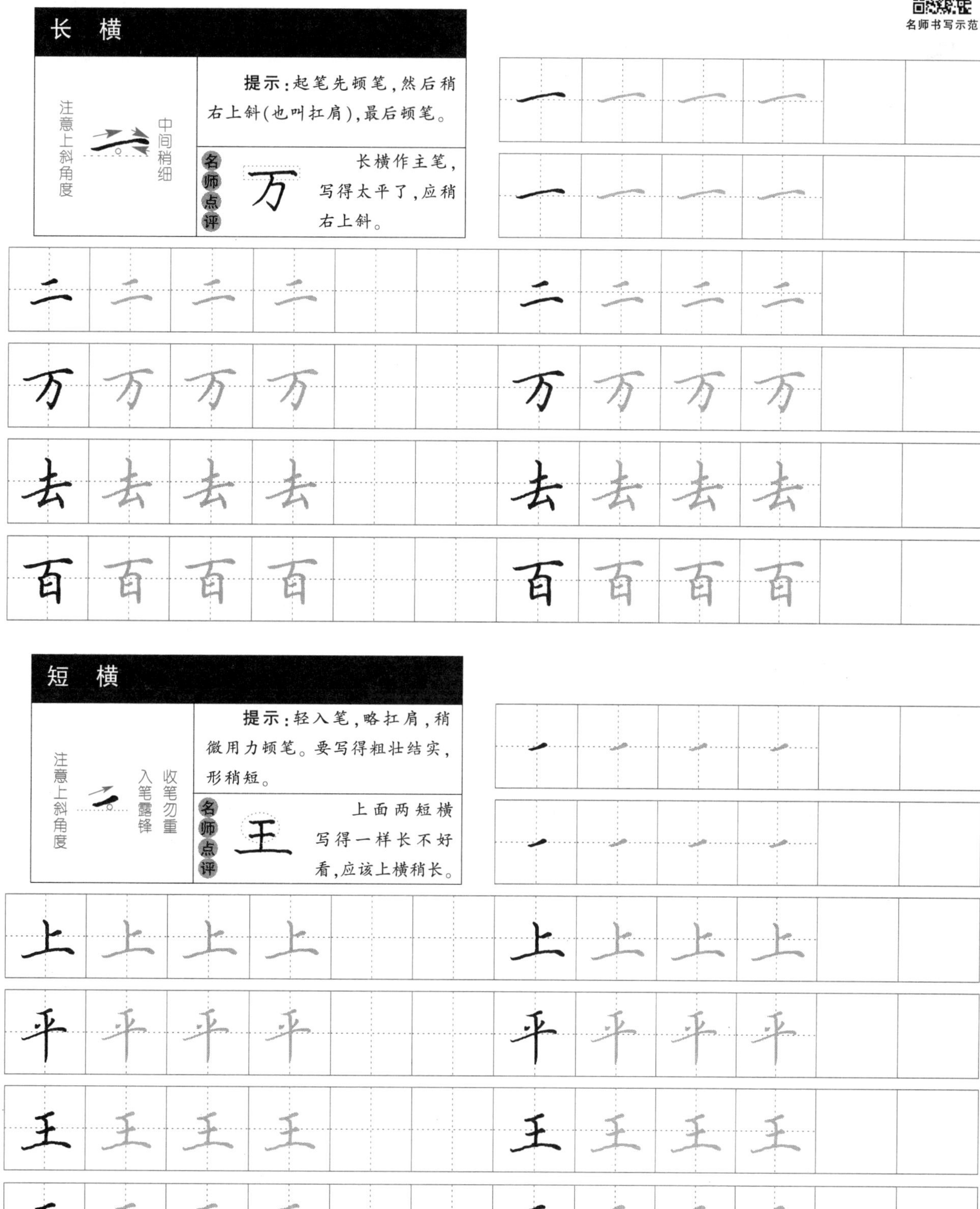

长横

注意上斜角度　中间稍细

提示：起笔先顿笔，然后稍右上斜（也叫扛肩），最后顿笔。

名师点评 万　长横作主笔，写得太平了，应稍右上斜。

一　二　万　去　百

短横

注意上斜角度　入笔露锋　收笔勿重

提示：轻入笔，略扛肩，稍微用力顿笔。要写得粗壮结实，形稍短。

名师点评 王　上面两短横写得一样长不好看，应该上横稍长。

一　上　平　王　互

Booom 新手练字诀窍 2

在日常书写中，横画常需要扛肩（扛肩：书法用语，指写横画时，形态左低右高）。上斜角度在 3°~12°之间时，单字最为美观。超过或小于此角度区间，则会使单字重心上移或下降，那么成行的字自然也就无法保持水平。

偏旁：皿字底、儿字底

名师书写示范

皿字底

皿 间距均匀 横长略上凸

提示：左竖和右竖下方略内倾；底横左低右高，要写长，力托上部。

名师点评 盐 皿字底整体形态太高，应写得宽扁。

皿	皿	皿	皿		
皿	皿	皿	皿		

盐	盐	盐	盐			盐	盐	盐	盐		
盎	盎	盎	盎			盎	盎	盎	盎		
盆	盆	盆	盆			盆	盆	盆	盆		
益	益	益	益			益	益	益	益		

儿字底

儿 撇不宜长 出钩向上 圆转自然

提示：撇画稍作收敛，竖弯钩舒展大方。整体形扁，不宜写得太高。

名师点评 元 撇画收笔应略高于竖弯钩，呈左收右放之态。

儿	儿	儿	儿		
儿	儿	儿	儿		

元	元	元	元			元	元	元	元		
先	先	先	先			先	先	先	先		
充	充	充	充			充	充	充	充		
党	党	党	党			党	党	党	党		

冲天香阵透长安，满城尽带黄金甲。

——黄巢《菊花》

笔画：右点、左点

名师书写示范

新手练字诀窍 1

书法中的点不是几何图形中的小圆点，任何点都有一个短距离的行笔过程。左点位于汉字的左边，与右点产生呼应关系，多向右方提锋；右点书写时由轻到重斜向落笔，笔尖略顿回锋。

偏旁：同字框、门字框

名师书写示范

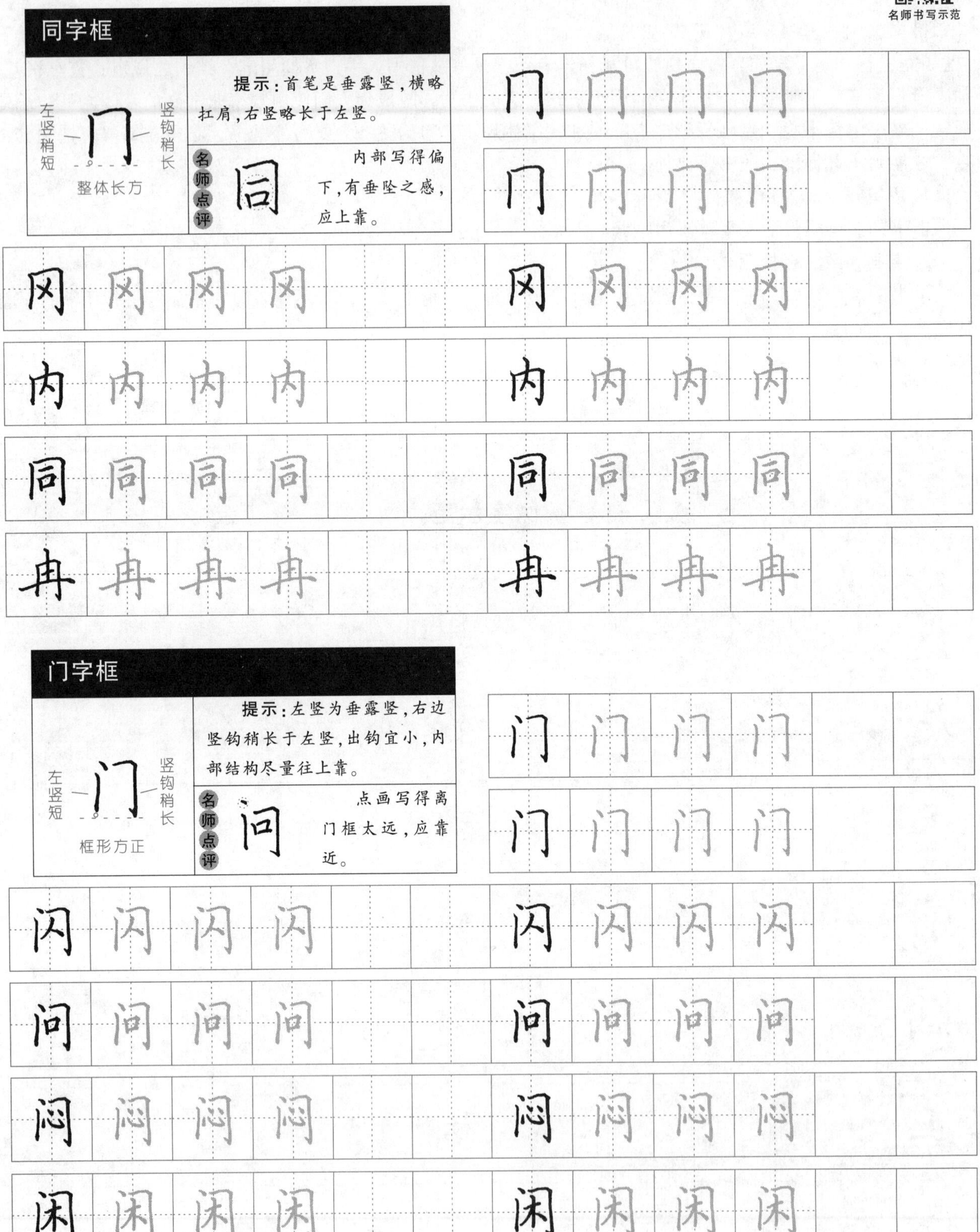

同字框

左竖稍短 竖钩稍长 整体长方

提示：首笔是垂露竖，横略扛肩，右竖略长于左竖。

名师点评：内部写得偏下，有垂坠之感，应上靠。

门 冈 内 同 冉

门字框

左竖短 竖钩稍长 框形方正

提示：左竖为垂露竖，右边竖钩稍长于左竖，出钩宜小，内部结构尽量往上靠。

名师点评：点画写得离门框太远，应靠近。

门 闪 问 闷 闲

书法逸事

米芾阅帖　宋代大书法家米芾7岁开始学习书法，他从颜字入手，临遍了古代大家的碑帖。他把晋唐墨迹称为“墨王”，每天都要把“墨王”展开，神游其间，晚上睡觉也要把它装入小箧，放在枕边，才能入睡，好像“墨王”在梦中会带给他无尽的灵感。

楷书的特点——端庄的楷书

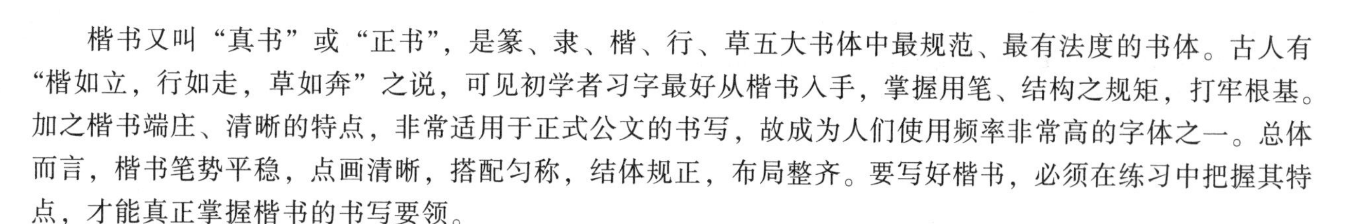

楷书又叫“真书”或“正书”，是篆、隶、楷、行、草五大书体中最规范、最有法度的书体。古人有“楷如立，行如走，草如奔”之说，可见初学者习字最好从楷书入手，掌握用笔、结构之规矩，打牢根基。加之楷书端庄、清晰的特点，非常适用于正式公文的书写，故成为人们使用频率非常高的字体之一。总体而言，楷书笔势平稳，点画清晰，搭配匀称，结体规正，布局整齐。要写好楷书，必须在练习中把握其特点，才能真正掌握楷书的书写要领。

1. 用笔收敛，多用藏锋

楷书的用笔缓慢而凝重，多用藏锋。无牵丝和钩挑，笔画间的萦带关系藏而不露。

2. 点画精致，顿挫明显

楷书的点画精微，笔画顿挫明显。笔画一波三折，一笔不苟，一般不能省略，不似行书常用简省、替代之法。

3. 因字立形，结构端庄

从结构上看，楷书一般因字立形，有长有短，或正或斜，但要受框格的限制，所以整体必须端庄平正，工整一致。

例字示范

员	员	员	员			能	能	能	能		
足	足	足	足			份	份	份	份		
丙	丙	丙	丙			札	札	札	札		
刚	刚	刚	刚			纤	纤	纤	纤		
汹	汹	汹	汹			赶	赶	赶	赶		
正	正	正	正			耐	耐	耐	耐		
施	施	施	施			呈	呈	呈	呈		
诊	诊	诊	诊			沁	沁	沁	沁		

偏旁：区字框、国字框

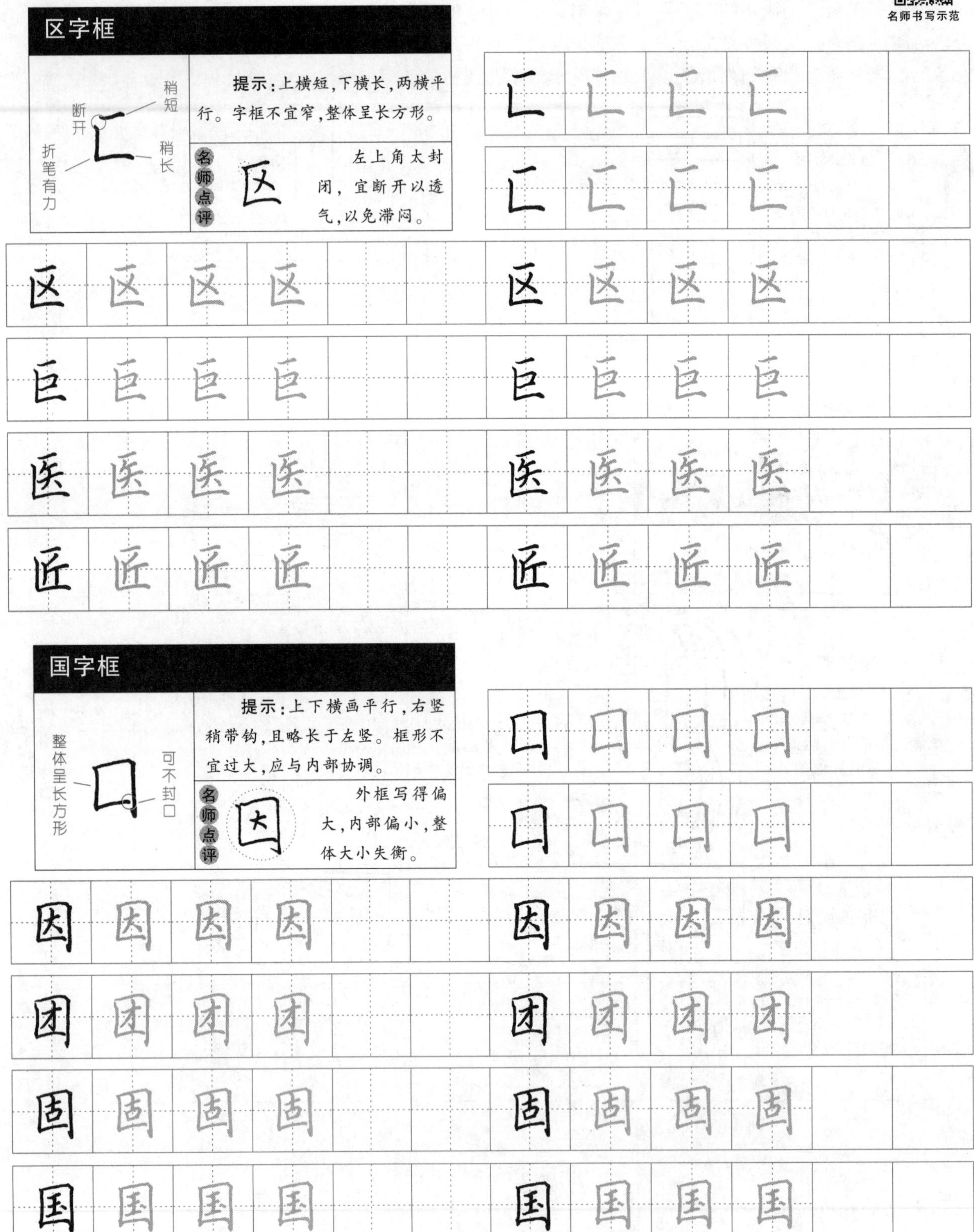

新手练字诀窍21

一个字中既有横又有撇时，横、撇的搭配一般分为两种情况：横短撇长和横长撇短。起笔是短横的字，撇要写得长，不然字就放不开；主笔为长横的字，其撇要短，这样写出的字才大小得当，均匀协调。

历 万

基本线条练习

硬笔书法艺术是线条的艺术。线条是书法中最基本的元素，是书法家表情达意以及精神、气质、修养得以流露的媒介。从某种意义上讲，字的美与丑，映入人的视觉并在脑海中所反映出的最直观的东西就是线条的美与丑。为此我们列出了以下几种基本线型，望初学者多加练习。

直线练习

分别从横向和竖向、等距和不等距、长和短这几方面进行练习，注意落笔位置要准确。

斜线练习

练习斜线有助于我们掌握点、撇、捺、挑等笔画，注意多从不同角度、方向进行练习。

曲线练习

曲线练习，主要在于线条圆转的练习，转向要自然连贯。多从不同方向的弧度进行练习。

折线练习

折线练习关键在其转折处，在楷书中多用方折。多从折角的方向、大小方面进行练习。

点线练习

点线有长有短，但总体要如人的眼睛，要写得炯炯有神。

名师书写示范

强化训练（二）

柏	柏	柏	柏			很	很	很	很		
绵	绵	绵	绵			肤	肤	肤	肤		
踩	踩	踩	踩			骗	骗	骗	骗		
烧	烧	烧	烧			娟	娟	娟	娟		
鄂	鄂	鄂	鄂			落	落	落	落		
空	空	空	空			库	库	库	库		
送	送	送	送			热	热	热	热		
闯	闯	闯	闯			圆	圆	圆	圆		
越	越	越	越			盘	盘	盘	盘		

驿外断桥边，寂寞开无主。已是黄昏独自愁，更著风和雨。

无意苦争春，一任群芳妒。零落成泥碾作尘，只有香如故。

——陆游《卜算子·咏梅》

目　录

图书在版编目（CIP）数据

楷书入门. 笔画偏旁：升级版 / 田英章书. —上海：
上海交通大学出版社，2018（2021 重印）
（华夏万卷）
ISBN 978-7-313-20510-0

Ⅰ.①楷…　Ⅱ.①田…　Ⅲ.①硬笔字-楷书-法帖
Ⅳ.①J292.12

中国版本图书馆 CIP 数据核字（2018）第 267377 号

楷书入门　笔画偏旁（升级版）
KAISHU RUMEN　BIHUA PIANPANG(SHENGJI BAN)

田英章　书

出版发行：上海交通大学出版社　　地　址：上海市番禺路 951 号
邮政编码：200030　　电　话：021-64071208
印　刷：成都蜀望印务有限公司　　经　销：全国新华书店
开　本：880mm×1230mm　1/16　　印　张：9
字　数：72 千字
版　次：2018 年 12 月第 1 版　　印　次：2021 年 2 月第 5 次印刷
书　号：ISBN 978-7-313-20510-0/J
定　价：22.00 元

全国服务热线：028-85939832

萬華卷夏
华夏万卷
让人人写好字

U0112805

楷书
KAISHU RUMEN 田英章 书
入门
升级版
V2.0
全套新增1100节
视频微课

笔画偏旁

上海交通大學出版社
SHANGHAI JIAO TONG UNIVERSITY PRESS